CHATS

YANN ARTHUS-BERTRAND

Ce livre est dédié à toutes les personnes
qui ont eu la gentillesse de se déplacer, avec leur chat,
dans mon studio, qu'ils soient ou non dans le livre.
Je remercie spécialement Christiane Paillard, Nicole Godier,
Jacqueline et André Jocquel.

Je tiens à remercier tout particulièrement mes deux assistants,
Françoise Jacquot qui s'est occupée des rendez-vous,
et Marc Lavaud des éclairages, sans oublier Jean-Philippe Piter
qui très gentiment nous a apporté des idées nouvelles.

Les films ont été développés dans le laboratoire
GT3P de Saint-Rémy-l'Honoré.
Photos réalisées en Mamiya RZ 67 et Canon Eos 1,
et éclairées par les flashes Godard.

Remerciements à toute l'équipe Sotexi
et notamment à Giselle Nicot.
Films Kodak Ektachrome 100 X
Photos distribuées par Yann Arthus-Bertrand.
Fax : 33(1) 34.86.76.46

CHATS

YANN ARTHUS-BERTRAND

TEXTE : Danièle Laruelle

CONSEILLÈRE : Sabine Paquin
juge international félin

ÉDITIONS DU CHÊNE

IL ÉTAIT UNE FOIS... LE CHAT

Ainsi s'adresse le chat d'un conte de Rudyard Kipling à la femme primitive qui a, par sa magie, mis au service de l'homme certaines bêtes sauvages de la forêt – le chien, le cheval et la vache. Le chat s'est bien gardé de se laisser ainsi ensorceler : il vient, de son propre chef, réclamer comme un dû sa place auprès du feu et saura, plus par séduction que par ruse, obtenir cette faveur de la femme en distrayant bébé et en dévorant la terrible souris. D'apparence anodine, cette fable écrite pour les enfants contient cependant en essence sa réalité et sa mythologie. Petit fauve domestique aux tendres caresses et au doux ronron, le chat redevient dans la nature un dangereux prédateur, voire un tueur sadique même s'il est bien nourri. Il reste

« Je ne suis pas un ami

et je ne suis pas un serviteur.

Je suis le chat

qui s'en va tout seul

et je désire entrer

dans votre grotte. »

« le chat qui s'en va par les Chemins Mouillés des Bois Sauvages, remuant la queue et tout seul ». Certains se sont même demandé si ce n'était pas lui qui avait apprivoisé l'homme… À moins qu'il n'ait, comme dans le conte, apprivoisé la femme car, à travers les temps et les cultures, on le trouve toujours lié à la féminité. De la femme au démon, le pas n'est vite franchi depuis la célèbre aventure du serpent au jardin d'Éden. Kipling le savait bien qui fit de sa femme des cavernes une gentille sorcière et de son chat le digne héritier de Lucifer, ange de lumière déchu qui, par orgueil, refusa de servir. Ces mauvaises fréquentations vaudront, en Occident, les pires déboires au pauvre chat.

Sacré, déifié, embaumé dans l'Égypte des pharaons, protecteur du foyer et de l'enfance à l'époque gallo-romaine, Felis Cattus fut, au Moyen Âge, condamné et brûlé au bûcher des sorcières, rituellement sacrifié et plus ordinairement torturé. Ce triste état de choses se prolongea dans certains lieux jusqu'au début du XIXe siècle sans pour autant compromettre l'irrésistible expansion de Messire le Chat : chasseur de souris et pourfendeur de rats, il protégeait les greniers et réserves de vivres et contribuait encore à éloigner la peste ; sa grâce en fit bientôt l'ornement des salons et lui gagna les faveurs d'admirateurs puissants, tel Richelieu qui causa quelque bruit en léguant une part de son héritage à ses quatorze chats ! Entré à pas feutrés dans la littérature aux XVIe et XVIIe siècles, adopté par de nombreux écrivains romantiques pour cette même « noirceur » qui l'avait fait honnir au Moyen

Âge, il devint tout naturellement le compagnon d'élection des poètes maudits avant de s'installer durablement parmi les livres et les papiers des auteurs de tous poils, veillant sur leurs écrits comme il veillait naguère sur les étranges grimoires des alchimistes.

Cette brève évocation des aventures du chat en Occident met en lumière l'ambivalence des sentiments humains à l'égard d'un animal qui conserve une part d'incompréhensible – la part du Diable assurément, car l'homme se défie de ce qui lui échappe. Deux pages inspirées à Paul Valéry par le tigre du zoo de Londres permettent, c'est un progrès, de cerner le mystère : « Je tombe en rêverie devant cette personne animale impénétrable […] Je cherche ingénument à lire des attributs humains sur son mufle admirable. Je m'attache à l'expression de supériorité fermée,

8

Sascha de Nydow, Bleu russe, à M. et Mme Bernhard Mühlheim.

de puissance et d'absence […] Quelle plénitude, quel égotisme sans défaut, quel isolement souverain ! L'imminence de tout ce qu'il vaut est avec lui. Cet être me fait songer vaguement à un grand empire. » Autant de réflexions qui pourraient s'appliquer au chat, lointain et minuscule cousin du Grand Khân des félins. Mais ce qui rend le tigre si glorieusement impérial n'est, chez le chat, que suffisance et orgueil déplacé : en raison de sa taille, il n'est pas à la mesure d'une telle ambition, du moins aux yeux de l'homme qui a soumis le cheval et le chien. Pour le christianisme qui cherche à consolider ses conquêtes dans les débuts du Moyen Âge, l'empire du chat sera celui du mal. Naturellement luciférien dans sa manière d'être, il basculera franchement du côté du démon avec ses amours tapageuses et son penchant pour les caresses. Et l'on verra des femmes « courir le garou » – c'est-à-dire les aventures nocturnes et galantes – et se rendre aux sabbats du diable, véritables orgies sexuelles, sous la forme de chattes. Capturées, ces sorcières seront brûlées avec quelque chat innocent.

Brûlées aussi ces autres femmes, cueilleuses de simples, détentrices de recettes et de pouvoirs mystérieux sentant leur paganisme. Et avec elles, le chat toujours, ce compagnon des pauvres qui subvient à ses propres besoins. Par ces actes spectaculaires, l'Église affirme son pouvoir et fait du chat sa victime expiatoire, symbole de luxure et d'obscurantisme.

Sous le règne de Louis XV, amateur de persans, les lumières du XVIIIe siècle éclairent d'un jour nouveau les pages obscures de cette sanglante histoire grâce à François Augustin Paradis de

---

9

Geisha de la Lumière Cendrée, Persan Golden Shaded, à M. et Mme Robert Bonnin.

Moncrif, proche du roi et apologue de la gent féline. Son Histoire des Chats, la première du genre en 1727, lui vaudra d'être fameusement brocardé et affublé du charmant sobriquet de « Mongriffe » car, en ce siècle où triomphe la raison, on est encore à l'époque ambiguë où des dames s'évanouissent à la vue d'un matou quand d'autres cultivent leur compagnie, leur écrivent des vers, leur élèvent des tombeaux. Buffon lui-même, dans son Histoire naturelle, de quelque trente ans postérieure au texte de Moncrif, fait du chat un portrait détestable où l'objectivité scientifique se perd à tout jamais. Si Moncrif exagère aussi dans l'autre sens et si certaines pages de son livre prêtent aujourd'hui à sourire, du moins nous apprend-il, à travers les citations érudites, les vers et les proverbes, que le chat est partout dans la société et ce, depuis longtemps ; que s'il n'a pas que des amis, il en eut toujours de fort respectables comme Montaigne ou Du Bellay. Et l'on se prend à se demander comment Felis Cattus survécut au carnage dont on nous rebat les oreilles comme pour nous obliger à expier une faute. C'est que les procès de sorcellerie sont inscrits dans les annales, pas la tendresse d'anonymes particuliers pour une bête qui, somme toute, joignait l'utile dératisation à l'agréable compagnie ; c'est que l'histoire véritable du chat est encore à écrire et restera probablement tout aussi silencieuse que le pas de son propriétaire sur le sable.

Indifférent à son passé, insouciant de son avenir, le chat qui a neuf vies et n'est pas à une près s'est très naturellement multiplié malgré les sévices ; discrètement, grâce à de secrets amis

Hanske de la Cachouteba, Chat des forêts norvégiennes bleu tabby et blanc, à Mme Christine Pochez.

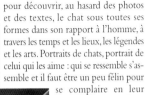

et par le biais d'importations, il s'est aussi diversifié. À la fin du XIXe siècle, il suscite un engouement tel que l'on organise les premières expositions félines. Des institutions qui visent à définir les standards des différentes races et à les fixer par l'élevage sélectif voient le jour : c'est l'aube du chat champion, une aristocratie en compagnie de laquelle nous voyagerons au fil de cet ouvrage

pour découvrir, au hasard des photos et des textes, le chat sous toutes ses formes dans son rapport à l'homme, à travers les temps et les lieux, les légendes et les arts. Portraits de chats, portrait de celui qui les aime : qui se ressemble s'assemble et il faut être un peu félin pour se complaire en leur compagnie. Quant à savoir ce que félin veut dire, plongez au cœur du livre… et vous verrez.

11

Filomène des Fauves et Or, Somali bleu, à Mme Christine Le Renard.

CHATS À POILS COURTS

KORAT

Originaire de Thaïlande, le Korat est un chat de taille moyenne au dos arrondi, qui donne une impression de puissance sans lourdeur. La queue et les pattes, terminées par des pieds ovales, doivent être proportionnées au corps. Lustrée et fine, serrée et couchée, la fourrure d'un bleu-gris uniforme tient ses reflets argentés de la pointe du poil. La truffe et les coussinets sont d'un bleu-gris foncé ou couleur de lavande. La tête, vue de face, a la forme d'un cœur, effet qu'accentue la courbe des sourcils. Arrondi juste au-dessus de la truffe, le nez ni trop long, ni trop court, marque une légère cassure appelée « stop » à la base du front. Le menton bien développé ne doit être ni pincé (« pinch », effet de joues creuses), ni pointu. Grandes et larges à la base, placées haut sur le crâne, les oreilles sont recouvertes d'une fourrure courte et serrée. Les yeux ronds, bien ouverts, sont de préférence d'un vert vif, mais la couleur

Page précédente : Carragato Lassik, California Spangled gold spotted, à Mme Tatti.

ambre est aussi admise. En 1959, une éleveuse américaine qui avait reçu en cadeau un couple de Korats de Thaïlande importa d'autres chats pour en entreprendre l'élevage en Occident. On peut, grâce au pedigree, retracer l'origine des diverses lignées jusqu'à leur terre natale où l'existence de ces chats réputés porter chance est attestée par des manuscrits et des dessins anciens (de 1350 à 1767) conservés à la bibliothèque de Bangkok. Il est donc permis de penser que la race nous est parvenue à peu près sans métissage, même si les descriptions datant de plusieurs siècles sont parfois hautement fantaisistes et d'une veine poétique tout orientale : « Les poils de la fourrure ont des racines de la couleur des nuages, les pointes sont de la couleur de l'argent et les yeux scintillent comme des gouttes de rosée sur une feuille de lotus. »

À DROITE ET PAGE PRÉCÉDENTE : Ejalma d'Osiria de Passaya of Yun Agor, Fyindee de Yun Agor d'Orfeny et Grawal Ier de Yun Agor d'Orfeny, Korats, à Mme Claudine Dotte.

BLEU RUSSE

De taille moyenne, le Bleu russe est un chat gracieux aux lignes allongées, aux pattes fines, aux petits pieds ovales, au long cou élégant et à la longue queue effilée en son extrémité. Il se distingue en outre des autres Bleus par une double fourrure à laquelle il doit ses reflets argentés. La robe courte, épaisse et très fine est légèrement dressée, contrairement à celle du Korat qui doit être couchée. La tête est courte, cunéiforme ; le nez et le front droits mais formant néanmoins un léger angle à la hauteur des sourcils. Grandes et relativement pointues, les oreilles ont une peau si fine qu'elles paraissent transparentes ; à l'intérieur, elles sont à peine recouvertes de poil. Ce chat au beau regard d'un vert vif se différencie encore du Korat par ses yeux en amande. Les yeux ronds sont un grave défaut chez un Bleu russe, de même qu'un corps massif ou de type siamois. Diversement connu sous les noms de « chat d'Arkhangelsk »,

« chat espagnol » ou « chat de Malte »
depuis son introduction en Angleterre
vers le milieu du siècle dernier par
des marins venus de Russie, le Bleu
russe, comme beaucoup d'autres chats,
garde jalousement le secret de ses origines, encore qu'on le suppose natif
des régions septentrionales. Pendant
la Seconde Guerre mondiale, la race
faillit s'éteindre ; afin de la sauver, des
éleveurs effectuèrent certains croisements avec des British Blue et des
Siamois, ce qui faillit être fatal : outre
les modifications morphologiques, les
chats ainsi obtenus ne possédaient plus
cette double fourrure si caractéristique. C'est au cours des années 1960
que des efforts concertés permirent
de revenir au type originel et de le
fixer. Au registre mondain, la race s'en-
orgueillit d'un aristocrate fort célèbre
en la personne du très noble Vashka
qui fut le compagnon de Nicolas Ier,
tsar de toutes les Russies de 1825 à
1855.

À DROITE ET PAGE PRÉCÉDENTE : *Sascha de Nydow et Saskia de Nydow, Bleus russes, à M. et Mme Bernhard Mühlheim.*

British Shorthair

« C'est dans les gouttières que nous ferions bien d'aller chercher de l'éducation », écrivait Moncrif dans son Histoire des Chats en 1727. Et c'est aussi dans les gouttières de Sa Très Britannique Majesté qu'au siècle dernier, le peintre Harrison Weir alla quérir ses chats pour en faire l'élevage et les exposer, conférant ainsi au banal matou de tous les jours ses lettres de noblesse sous le nom de British Shorthair. Cette appellation colonialiste en diable s'appliquait alors aux divers chats de maison continentaux et causa une certaine confusion jusqu'à ce que des programmes d'élevage spécifiques permettent d'établir des standards précis pour les British et les Européens, sur la base de différences morphologiques.

Aujourd'hui, le British Shorthair conserve un petit air rustique de ses origines peu aristocratiques. C'est un chat de taille moyenne au corps trapu et musclé, aux épaules larges, aux

pattes courtes et robustes, à la poitrine bien développée et de forme arrondie. Relativement courte et large à la base, la queue doit avoir la longueur des deux tiers du corps. La tête, qui ne doit pas être trop courte, est ronde ainsi que le museau. Les yeux, ronds également, sont de couleur orange, dorée ou cuivre, mais vert pour les silver ou impairs pour les blancs ; assez espacés, ils soulignent la largeur du nez qui amorce l'ébauche d'un « stop » avec le front bien dessiné auquel le poil très dru donne du bombé. Arrondi encore, le bout des oreilles, assez petites et larges à la base. La fourrure dense, ferme et serrée achève de conférer au chat cette apparence de circularité duveteuse qui invite à la caresse. Avec son beau visage naïf sorti tout droit d'un livre d'images, le British Blue ressemble à une peluche vivante.

À DROITE ET PAGE PRÉCÉDENTE : Vincent van Lady's Home,
Whoopy van Lady's Home et Grisella van Kievietsdel, British Shorthair bleus,
à Els H. Franssen van der Meer.

Avram Van Diaspora, British Shorthair lilac, à Mme Béatrice Passin.

CI-DESSUS : *Gimini Silver du Rio d'Erclin,*
British Shorthair silver tabby blotched, à M. et Mme Georges Vallez.
À DROITE : *Aldo de la Chezine,*
British Shorthair crème, à M. et Mme André Martaud.

SELKIRK REX

Bonjour, je suis le Selkirk Rex. On me surnomme « chat mouton » et pourtant, je porte le nom d'une sorte de lapin. Il m'arrive d'ailleurs de bondir. Mais ce que nous avons en commun, moi, ce Rex herbivore, et mes cousins de Cornouailles et du Devon, c'est notre poil frisé, une rareté assurément ! Pour le reste, nous ne nous ressemblons guère. Nous partageons cependant une origine commune, voire très commune puisque nous sommes apparus séparément, mes cousins anglais et moi-même, dans des portées de chatons ordinaires par une mutation naturelle. Les éleveurs nous trouvèrent si jolis qu'ils décidèrent de « fixer la race ». Je suis le dernier-né des Rex. Mon ancêtre, Miss Pesto, de mère américaine banale et de père inconnu, vit le jour dans le Wyoming en 1987. Elle fut adoptée par une dame Newman, éle-

À droite et double page suivante : Halvane du Parc, Selkirk Rex blanche, à M. et Mme Jacques Courdille.

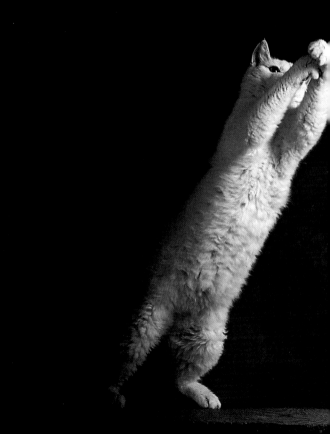

C'est un chat gracile, musclé, aux pattes longues et fines, à la queue effilée en pointe. La nuque allongée porte une tête cunéiforme aux pommettes saillantes, au menton affirmé, au museau court et pincé. Le crâne est plat, le front bombé, le nez bref. Implantées très bas, des oreilles immenses confèrent au chat un faux air de lutin. Les yeux, grands et de forme ovale, sont légèrement à l'oblique. Comme tous les Rex, le Devon est frisé sur tout le corps. Le premier fut trouvé en 1960 aux abords d'une mine abandonnée du Devon. Recueilli, il eut d'une chatte tricolore un petit mâle frisé que l'on nomma Kirlee (phonétiquement *curly*) qui signifie bouclé. Les humains adoptifs connaissant l'existence du Rex de Cornouailles tentèrent des mariages, mais les chatons avaient le poil désespérément plat et l'on dut recourir à la consanguinité pour fixer la race.

Honesty Van Zechique, Devon Rex tortie tabby, à Mme Marijke Wijers.

CI-DESSUS, À DROITE ET DOUBLE PAGE SUIVANTE :
Jewel Tiffany Van Zechique, Devon Rex red shaded cameo, à Mme Marijke Wijers.

CI-DESSUS : *Honey Bee Van Zechique, Devon Rex white, à Mme Marijke Wijers.*
À DROITE : *Jewel Tiffany Van Zechique, Devon Rex red shaded cameo, à Mme Wijers.*

CORNISH REX

De tous ces Rex, le Cornish apparut le premier le 21 juillet 1950, petit mutant frisé au beau milieu des chatons ordinaires de sa mère Serena qui n'avait elle-même rien de très particulier. Éleveuse de lapins Altrex au poil bouclé, la propriétaire de Serena ne pouvait être que séduite par le bizarre chaton. On lui conseilla de le marier à sa mère pour tenter d'obtenir d'autres petits frisés. Deux ans plus tard, Serena mettait bas une femelle banale et deux mâles au pelage bouclé. Les débuts de la race s'avérèrent difficiles car l'un des chatons disparut tandis que l'autre, devenu adulte, fut soumis à des expériences qui le rendirent stérile. Il avait heureusement assuré sa descendance et l'on s'attacha à préserver le gène mutant en effectuant divers croisements avec des Burmese et des British Shorthair,

Carlozio's Raphael Gold, Devon Rex chocolat tonkinois, à Mme Anna Maria Quintela.

ce qui permit de diversifier les couleurs, d'établir un type et d'éviter la consanguinité. Le nouveau chat fut baptisé « Cornish » car cela se passait en Cornouailles et « Rex »… à cause du lapin. La robe du Cornish Rex est courte, dense, frisée ou ondulée et pelucheuse. L'absence totale de poil primaire – poil jarre – le distingue du Rex du Devon. Moustaches et sourcils de bonne taille doivent être frisés eux aussi. Le corps moyen, plus fin que celui du Devon, est très musclé. De longues pattes minces et une longue queue effilée achèvent de conférer au chat cette élégance de lévrier félin que les éleveurs américains ont encore accentuée en le croisant avec des Siamois et des Orientaux. La tête présente de profil une courbe ovoïde sans cassure de la pointe du nez jusqu'au front que prolonge un crâne plat. Les yeux, de forme ovale, sont largement ouverts et légèrement en biais. Leur couleur doit être assortie à celle de la robe. Légèrement arrondies à leur extrémité, les oreilles

Héloïse de Cléomont, Cornish Rex noir fumé et blanc, à M. Jean-Pierre Filippi.
Double page suivante : *Honey Bee Van Zechique, Devon Rex white,*
à Mme Marijke Wijers.

Gaston (CI-DESSUS ET À DROITE), Framboise du Pen Cuckoo et Hela d'Aba, Cornish Rex, à M. et Mme Laurent Maillet.

sont grandes et larges à la base mais diffèrent de celles du Devon en ce qu'elles sont placées haut sur le crâne et de forme plus conique. Elles sont recouvertes d'un poil très fin, mais dépourvues des touffes de poil qui ornent la naissance de l'oreille chez le Rex du comté voisin.

Voici le chat, le chat aimé pour lui,
le tendre chat du foyer au quotidien,
le chat des villes et le chat des champs,
le chat banal dans sa gloire : l'Européen. Il est le plus ancien de nos chats
puisqu'il arriva en Gaule avec les ar-
mées romaines, mais il ne fut reconnu
comme chat de race dans les con-
cours qu'en 1983 ! Il a pourtant beaucoup contribué à notre patrimoine
littéraire et folklorique ; il a été fort
utile et a aussi payé de sa personne
chez les peaussiers comme sur les bû-
chers des sorcières. Comment igno-
rer plus longtemps cet animal qui, par
sa seule omniprésence, nargue les es-
pèces renommées aux origines plus
exotiques ? Et l'on se mit en devoir
de cultiver sa différence.

L'Européen est donc un chat moyen,
idéalement ressemblant au très commun chat domestique et dont la prin-
cipale qualité est de n'avoir pas celles

Glaçon, Européen blanc, à Mme Monique Barbotte.

des autres. Chez lui, un corps trop élancé de type siamois ou oriental est un sérieux défaut, de même qu'un corps trop ramassé de type British ou Exotique. De taille moyenne à grande, robuste, souple et bien musclé, les pattes fortes et solides proportionnées au corps, la poitrine large et bien développée, il n'a rien de circulaire, même si sa tête est assez large et de forme arrondie. Son nez est droit, d'égale largeur sur toute sa longueur. Si la base du front est bien définie, il n'y a pas là l'ombre d'un « stop », présent chez son cousin des îles Britanniques, qui a aussi les oreilles plus petites. Ses yeux ronds, bien écartés et légèrement à l'oblique peuvent être verts, jaunes ou orange, voire bleus ou vairons chez l'Européen blanc. Sa fourrure courte, épaisse et lustrée n'a ni cet aspect lisse de celle des Orientaux, ni celui duveteux de son voisin d'outre-Manche. Un original, lui ? Vous plaisantez.

CI-DESSUS : *Zazie, Européenne blanc et noir,
à MM. Claude Paul et Marcel Godenir.*
À DROITE : *Fugue du Val aux Biches, Européen brown tabby blotched,
à Mme Jacqueline Monnet.*

Ci-dessus : Glaçon, Européen blanc, à Mme Monique Barbottte.
À droite et double page suivante : Élodie des Mézières, Européen golden tabby
blotched et ses petits, à Mlle Suzanne Piqué.

SPHINX

Non, je ne suis pas une chauve-souris à pattes, ni un démon médiéval tombé d'un bas-relief pour m'incarner en chat. Je ne vous plais pas ? Vous me trouvez indécent tout nu ? Allons, suis-je plus nu que vous ? D'où je viens ? Je ne vous le dirai pas. Et puis, je suis le Sphinx, alors, c'est moi qui pose les questions. Ma peau est douce pourtant. Cela ne vous tente pas, pour changer ? Ce sont peut-être mes plis qui vous gênent ? Bon, je suis, un genre de Devon Rex qu'on aurait rasé. Mais cela me fait plus mutant. D'ailleurs, ces Rex ne sont que des mutants sans expérience. Moi, je suis un mutant ancien. J'ai des ancêtres sur des gravures précolombiennes ; des savants m'ont vu en 1830 au Paraguay, en 1900 au Mexique et maintenant qu'on m'élève sérieusement, il faudra bien faire avec moi !

*À DROITE ET DOUBLES PAGES SUIVANTES : Phalaenopsis Georgette à Poil !,
Sphinx brown tortie tabby et blanc, à MM. Patrick Challain et Guy André Pantigny.*

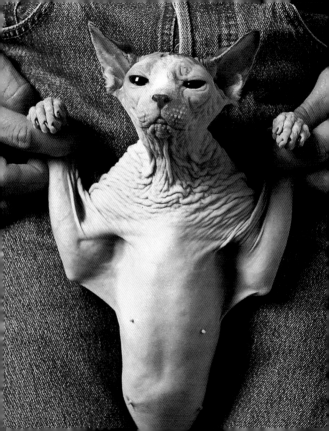

72

BOBTAIL JAPONAIS

Svelte et musclé, le museau arrondi et la tête en triangle, le Bobtail japonais doit son nom à sa courte queue en pompon. Ses pommettes hautes et ses yeux obliques semblent confirmer ses origines asiatiques qui remontent au VIIe siècle. Debout, ses pattes arrière plus longues sont fléchies ; assis, il a tendance à lever une patte avant, geste immortalisé par de nombreuses statuettes japonaises appelées « Maneki-neko » (chat qui salue). Elles sont censées apporter la fortune lorsqu'elles lèvent la patte gauche, le bonheur lorsqu'elles lèvent la patte droite… et l'animal vivant, lorsqu'il est tricolore, éloigne les mauvais esprits !

Izumo von der Baderstadt, Bobtail japonais, à M. Rolf Voehringer.

CI-DESSUS : Passetis Chase. À DROITE : Ioko-Omo von der Baderstadt, Bobtails japonais, à M. Rolf Voehringer.

AMERICAN SHORTHAIR

Le chat qui nous précède est un American Shorthair, un émigrant parti vers l'Ouest dans les chariots des pionniers. Très proche de ses cousins d'Europe par sa morphologie, il a le poil plus rude, souvenir de sa vie aventureuse sans doute, et puis bien sûr, il est plus grand puisque tout est plus grand en Amérique !

CI-DESSUS, À DROITE ET DOUBLE PAGE SUIVANTE : Miribu's Bustopher Jones of Phalaenopsis, American Shortair Brown Blotched Tabby, à M. Guy-André Pantigny.

AMERICAN CURL

Nous les American Curl aux oreilles
bouclées, sommes apparus par une
mutation naturelle au début des années 1980. Très récent, notre type est
encore un peu flou, en dehors de nos
oreilles, larges à la base et bien re-
courbées, idéalement en demi-lune.
Notre fourrure peut être courte,
dense et couchée, ou mi-longue sans
excès, plate et soyeuse, sans sous-poil
ni collerette. Pour le reste, nous
sommes moyens, plus ou moins lon-
gilignes – les deux types ont leurs
partisans. Notre tête, plus longue que
large, porte un nez droit prolongé
sans cassure par un front à la cour-
bure légère. Nos yeux sont larges, bien
écartés, de forme ovale et assortis à
notre robe qui peut revêtir toutes les
couleurs.

À DROITE ET DOUBLE PAGE SUIVANTE : *Hollywood Chewing Gum de Cour Saint-Éloi,*
American Curl roux et blanc, à Mlle Florence Prescott.

Harmonie d'un soir des Fleurs du Mal, American Curl,
à M. Christian Doublet.

Free Taxe de Cour St Éloi, American Curl Tortie Smoke, à Mlle Florence Prescott.

BURMESE

L'élégante silhouette du Burmese le
distingue à la fois de l'Oriental, plus
fin, et de l'Européen, plus lourd. Il a
le corps moyen, vigoureux et musclé, la poitrine puissante et ronde, le
dos absolument droit. Ses pattes, relativement fines, sont bien proportionnées et terminées par de petits
pieds ovales. La tête arrondie s'effile
en un triangle court ; les joues sont
pleines, trait fort accentué chez le
mâle. Larges à la base, de taille
moyenne, les oreilles sont bien écartées et penchent légèrement vers
l'avant. Le nez marque une fine cassure avec le front ; le museau, qui ne
doit pas être pincé, se caractérise par
une forte mâchoire inférieure et un
menton bien développé. Les yeux
bridés, plus ronds en dessous qu'au-
dessus, vont du jaune à l'ambre, une
teinte dorée étant préférable. La robe,

*À DROITE ET PAGE SUIVANTE : **Houdette de Treuzy dite Élisa,
Burmese chocolat, à M. Sébastien Bonutti.***

courte et fine, de texture satinée, est très brillante et presque sans sous-poil. La couleur ne doit comporter ni marques, ni rayures, même si, dans certaines teintes, elle s'éclaircit légèrement vers les flancs et le ventre.

Tous les Burmese descendent de Wong Mau, une chatte de Birmanie ramenée de Rangoon aux États-Unis en 1930. Initialement croisée à un Siamois seal point du nom de Tai Mau, elle mit au monde des chatons de type siamois et d'autres qui lui ressemblaient. En mariant entre eux les petits non Siamois et en les mariant à leur mère, on parvint à fixer la race Burmese qui fut officiellement re-connue aux États-Unis dès 1936. Cette homologation précoce dut être suspendue dans les années 1940, car l'importance de la lignée siamoise menaçait d'effacer les caractéristiques de la race d'origine. Tandis que les éleveurs américains reprenaient leur travail de sélection, les Anglais, qui avaient importé des Burmese en 1947, développaient leur propre programme d'élevage et reconnaissaient la race en 1952. L'année suivante, le Burmese américain était à nouveau homologué, définitivement cette fois. Aujourd'hui, le type américain se distingue de l'anglais par une morphologie plus robuste et moins orientale.

Portée de Eesara Cha Iro No Ran, Burmese zibeline, à Mme Béatrice Wood.

TONKINOIS

Le Tonkinois ne nous vient de l'Orient que par ses lointains ancêtres. Il est né outre-Atlantique, de croisements entre Burmese et Siamois. Reconnu au Canada en 1974 et aux États-Unis dans les années 1980, il attend encore sa confirmation officielle en Europe. De ses géniteurs, il semble la parfaite synthèse : plus fin que le Burmese, il est plus lourd que le Siamois. S'il a, en fond de robe, les couleurs du premier, il arbore le marquage point du second. Ses yeux d'aigue-marine ou de turquoise clair lui donnent son charme particulier. Moins ronde que celle du Burmese, sa tête n'est pas aussi triangulaire que celle de nos actuels Siamois.

Hybride génétique, ce chat marque un retour à une esthétique passée et devrait en cela satisfaire les nostalgiques du Burmese anglais comme ceux des Siamois arrondis d'autrefois.

Hug Cha Iro No Ran, dite Duchesse, Tonkinois natural mink, à Mme Jocelyne Majus.

97

À GAUCHE :Thamakan Silver Jeannet, Burmilla silver, à Mme Anna Maria Quintela.
-DESSUS : Petit de la portée de Eesara Cha Iro No Ran, Burmese zibeline, à Mme Béatrice Wood.

BURMILLA

Comme le Tonkinois, le Burmilla est
en partie Burmese mais son apparition ne doit rien au travail des éleveurs : il est en effet le fruit acciden-
tel des amours tout à fait spontanées
entre une chatte Burmese lilas et un
mâle Persan Chinchilla appartenant
tous deux à la baronne Miranda von
Kirchberg. Lorsqu'on sait l'importance qu'attachent à la pureté de la
race les propriétaires de beaux chats,
il est permis de supposer que la dame
en question ne fut pas entièrement
ravie d'une union si illégitime. Nés
en Grande-Bretagne en 1981, les frau-
duleux chatons rachetèrent cependant
la faute de leurs parents : ils étaient ir-
résistibles et devinrent aussitôt les fon-
dateurs d'une authentique race nouvelle. Du Burmese, le Burmilla
conserve la ligne élégante, les pattes

*À DROITE ET DOUBLE PAGE SUIVANTE : Thamakan Silver Jeannet,
Burmilla silver, à Mme Anna Maria Quintela,
photographié avec Mme Marianne Paquin*

minces, les yeux bridés et l'allure générale de la tête. Du Chinchilla, il a le maquillage de la truffe, des lèvres et des yeux – qui sont chez lui toujours d'un beau vert –, ainsi que le « tipping » si caractéristique qui donne ses reflets à la robe. Sa fourrure bien fournie et couchée est plus longue que celle du Burmese. Les extrémités colorées des poils peuvent avoir toutes les teintes Burmese (zibeline, chocolat, bleu, lilas, rouge, crème) ainsi que le noir du Chinchilla sur un fond de robe argenté ou doré.

101

BOMBAY

Le Bombay est un chat relativement récent, issu du Burmese zibeline et de l'American Shorthair noir. Sa fourrure luisante, courte et couchée, doit être d'un noir de jais uniforme, de même que la peau, le nez et les coussinets. Ses yeux ronds et bien écartés ont une teinte dorée ou, cuivrée : aucune autre couleur n'est admise. La tête et le museau sont ronds, les joues pleines, les oreilles moyennes, larges à la base et pointant légèrement vers l'avant. Assez court, le nez marque un léger « stop » à la naissance du front. Reconnue aux États-Unis en 1976, la race est aujourd'hui fixée. Panthère miniature qui doit son nom exotique à sa dangereuse cousine des Indes, ce chat au caractère tendre et affectueux semble n'exister que pour démentir les affreuses légendes dont l'homme se complaît à revêtir le chat noir.

À DROITE ET DOUBLE PAGE SUIVANTE : Fejuko's Jeanette Isabella, Bombay, à M. Michel Le Hir.

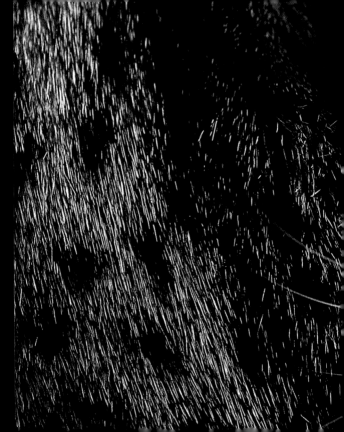

MAU ÉGYPTIEN

En Égypte, d'où nous vient cette race
à la robe finement mouchetée et aux
yeux caractéristiques d'un vert de
groseille à maquereau, « Mau » signifie « chat ». Proche de l'Abyssin
par sa morphologie, le Mau au corps
souple et puissant ne doit être ni trop
lourd, ni trop longiligne. Sa tête cunéiforme aux contours arrondis porte
un nez court et des oreilles moyennes
à grandes dont le bord interne s'orne
de plumets. Le front arbore un des-
sin en forme de M ou de scarabée, et
l'œil est prolongé par de fines rayures
qui produisent un effet de maquillage.
La queue est annelée et le cou dé-
coré d'un collier ouvert. Les pattes
antérieures sont marquées de rayures
formant des anneaux le plus souvent
incomplets. Le poil, fin et soyeux, bien
couché sur le corps, doit présenter
deux bandes de « ticking ».

À DROITE, DOUBLE PAGE PRÉCÉDENTE ET DOUBLES PAGES SUIVANTES :
Junglebook Aspen Mist, Mau égyptien silver, à Mme Ingrid B. Baur-Schweizer.

Les premiers Maus authentiques furent introduits en Italie dans les années 1950, avant de suivre leur propriétaire aux États-Unis où la race fut reconnue en 1978. Entre-temps, les éleveurs anglais, que l'obligation de quarantaine empêchaient d'importer le chat, s'efforcèrent de le recréer en mêlant à des Abyssins divers tigrés et des Siamois. Décevant par rapport au type original, le résultat de ce travail donna naissance à l'Oriental spotted tabby.

BENGALE

Relativement récent, le Bengale est encore une création de cette félino-technie qui s'ingénie à réaliser les rêves de l'homme civilisé. Or, ce dernier semble hanté par le félin fantasme d'avoir, à domicile et en modèle réduit, une copie conforme à peu près domestique des terribles grands fauves. Et c'est en quelque sorte à ce « complexe de Moogli » que nous devons le Bengale, conçu dans cette optique par une éleveuse américaine à partir de poils courts européens ou américains et de Felis Bengalensis, un chat sauvage d'Asie appelé aussi « chat léopard ». Les premiers chatons furent ensuite mariés à des Maus égyptiens et à d'autres chats tachetés. Le résultat de ce travail d'hybridation commencé dans les années 1960 donne un grand chat puissant et fortement musclé, à

À DROITE ET PAGES 118-119 : Bengal's hill's Hearty,
Bengale snow chocolat spotted tabby, à M. et Mme Michel Sfez-Zon.

116
Bengal's hill's Honey-Moon,
Bengale brown spotted tabby, à M. et Mme Michel Sfez-Zon.

l'ossature robuste et aux allures de fauve. La tête aux contours arrondis est portée par un cou trapu et semble assez petite par rapport au reste du corps. Les yeux, bien écartés et de forme ovale, sont légèrement en biais ; les oreilles au repos sont pointées vers l'avant. La fourrure, épaisse, dense et d'aspect légèrement pelucheux reste cependant douce et satinée au toucher. Parsemée de mouchetures sombres régulièrement réparties sur le dos, les flancs et le ventre, la robe s'orne de rayures sur la tête, les épaules et les pattes tandis que la queue est annelée et terminée par une pointe sombre. Il semblerait qu'à l'heure actuelle ce très beau chat ne soit pas toujours d'humeur facile, aussi les éleveurs travaillent-ils à adoucir son caractère – ce qui n'est pas un luxe lorsqu'on considère que les mâles peuvent atteindre huit ou neuf kilos !

Bengal's hill's Hearty, Bengale snow chocolat spotted tabby, à M. et Mme Michel Sfez-Zon.

SINGAPURA

Le Singapura partage avec l'Européen
une origine des plus communes : la
rue. Fort courant à travers l'Asie du
sud-est, il est surnommé « chat
d'égout » à Singapour. C'est sans
doute à ses ancêtres mal aimés et mal
nourris qu'il doit l'un de ses charmes,
sa petite taille : une femelle adulte ne
pèse pas plus de deux kilos, un mâle,
à peine trois ! Il fut remarqué au milieu des années 1970 par des éleveurs
américains qui l'emportèrent dans
leurs bagages pour en faire un chat
de race. Le voici parmi nous, avec sa
tête légèrement triangulaire aux
contours arrondis, ses grandes oreilles
et ses immenses yeux qui lui man-
gent le visage. Verts, jaunes ou noi-
sette, ils sont, comme la truffe et les
lèvres, soulignés d'un trait de khôl.
Svelte, le corps doit être bien musclé ; moyennes, et non pas fines, les

*À DROITE, DOUBLES PAGES PRÉCÉDENTE ET SUIVANTE : H-Butterfly du Fort Canning,
Singapura brown tabby, à M. Gérard Prescott.*

124

pattes se terminent par de petits pieds ovales aux coussinets d'un brun rosé. Le poil très court, soyeux et bien couché contre le corps, porte un « ticking » semblable à celui de l'Abyssin dans des tons d'ivoire et de bronze. Encore peu nombreux aux États-Unis, ces ex-chats communs d'Asie sont en Europe une véritable rareté !

OCICAT

Vers le milieu des années 1960, Mme
Daly, éleveuse américaine, travaillait
à un programme de croisement entre
Abyssins et Sia-mois. De l'accouple-

ment entre un de ces chats métis et
un Siamois chocolate point naquit, à
sa grande surprise, un chat entièrement tacheté. Baptisé « Ocicat » par

Gitane du Vieux Pont, Ocicat brown tabby, à Mme Suzanne Arelli.

analogie avec l'ocelot, le nouveau venu fit désormais l'objet d'un programme particulier destiné à fixer la race et à la faire reconnaître.

Élégant et puissant, ni trop fin ni trop lourd, l'Ocicat doit avoir l'allure d'un petit félin sauvage. Sa tête, ni trop triangulaire, ni trop ronde, présente des joues et un menton bien développés, un museau assez long, très défini mais non pointu, un nez marquant un léger stop. Très espacés, les yeux en amande sont grands et légèrement en biais ; toutes les couleurs sont admises sauf le bleu. De taille moyenne, les oreilles sont droites et nettement placées sur les côtés de la tête. Les pattes musclées à l'ossature robuste se terminent par de forts pieds ovales. La queue est assez longue et légèrement effilée. Le « ticking » du poil confère à la robe ses ocelles nets et bien séparés. La tête porte des rayures et la queue des anneaux.

À DROITE ET DOUBLES PAGES SUIVANTES : *Hocy du Vieux Pont, Ocicat chocolat silver spotted, à M. Fabrice Calmes.*

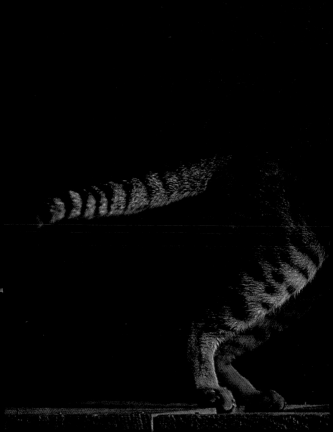

CALIFORNIA SPANGLED

Moi, le California Spangled, en fran-
çais « chat californien moucheté », je
suis un pur produit de la félinotech-
nie ! Je naquis d'abord dans l'esprit
d'un scénariste d'Hollywood, Paul
Casey, qui me désirait semblable par
la morphologie aux chats sauvages et
tachetés d'Afrique. Dans les années
1970, les spécialistes se mirent en devoir de me créer, mêlant à des poils
courts anglais et américains une lignée de chats errants du Caire, une
autre d'Asie tropicale, le tout addi-
tionné de quelques Siamois. Il est vrai
que la nature, malgré ses grandes fa-
cultés de brassage, aurait eu quelque
peine à réunir tout cela en un seul
lieu. Mon voisin de droite et ses col-
lègues des pages suivantes sont d'authentiques chats de spectacle.

DOUBLE PAGE PRÉCÉDENTE ET À DROITE : Carragato Lassik,
California Spangled gold spotted, à Mme Vanna Maria Tatti.
DOUBLE PAGE SUIVANTE : Tootsie, Gouttière, à M. et Mme William Weldens.

CI-DESSUS : *Tatleberry Tywysog, Manx brown tabby et blanc,*
à Mme Huguette Noebels.

MANX

Le Manx est un chat au corps bréviligne et aux formes arrondies, une esthétique accentuée par ce qui le caractérise d'abord : son absence de queue. De taille moyenne, il est musclé, trapu et compact, en termes techniques, « cobby ». Ses pattes puissantes à la forte ossature sont plus courtes à l'avant, de sorte que son arrière-train ressemble un peu à celui de l'ours… ou du lapin ! D'ailleurs, ce chat se déplace volontiers par bonds appelés « sauts de Manx ». Sa tête est ronde, au museau un peu plus long que large, aux joues bien développées et au front légèrement bombé. Ronds aussi, les yeux sont grands, bien écartés, placés légèrement de biais et de couleur assortie à la robe, qui est courte, dense et soyeuse avec un sous-poil. Idéalement, le Manx n'a pas du tout de queue mais un petit derrière tout rond : il est alors « rumpy ».

À DROITE : Tatleberry Tywysog, Manx brown tabby et blanc, à Mme Huguette Noebels.

144

Cependant, le gène responsable de cette mutation s'exprime de manière variable : certains sujets peuvent avoir jusqu'à trois vertèbres coccygiennes recouvertes d'un toupet de poil (type « rumpy riser ») ou même un embryon de queue allant jusqu'à dix centimètres (type « stumpy »). Il arrive aussi que des chatons naissent avec une queue de longueur à peu près normale ; dits « tailed Manx », ces sujets ne sont utilisés que pour la reproduction. Connue depuis plus de deux siècles, cette espèce spécifique à l'île de Man, en mer d'Irlande, attira l'attention des éleveurs britanniques dès le début du siècle. Initialement, les sujets qui naissaient avec un poil trop long étaient soigneusement écartés. Dans les années 1960, des Américains s'intéressèrent à ces avatars méprisés, créant une nouvelle race qu'ils baptisèrent Cymric, signifiant « le Gallois »… en gallois !

Shen's Lady (DOUBLE PAGE SUIVANTE), Yuki et Winnie de la Gambade, Manx, à Mme Huguette Noebels.

SCOTTISH FOLD

Comme le Manx, le Scottish Fold possède un double morphologique appelé Highland Fold en raison de sa fourrure. Vous le trouverez pages 100-101 en compagnie du Cymric dans la catégorie « poil mi-long », ainsi que le standard de ces chats « écossais » aux oreilles rabattues.

Ci-dessus, à droite et double page suivante : Mar de Barret dite Liberty, Scottish Fold van noir et blanc et Scotland Yard, Scottish Fold black silver blotched tabby et blanc van, à Mme Yannick Prescott-Quefféléant.

151

CHARTREUX

Rendu célèbre par Colette, le Chartreux est un chat uniformément bleu-gris, jusqu'à la truffe et aux coussinets. Ses yeux vifs sont de couleur jaune soutenu à cuivre. Robuste, massif et ferme, à la large poitrine, aux pattes moyennes et puissantes, il se distingue des autres « bleus » par une tête en trapèze, plus large à la base en raison de bajoues très développées. Séparées par un espace assez étroit et plat, les oreilles, placées haut sur le crâne, accentuent cette forme typique. Le nez, large et droit, ne doit pas présenter de « stop ». La fourrure dense et lustrée présente, à la base, une texture laineuse. Bien fourni, le sous-poil ne doit pas accuser de différence de teinte trop marquée avec le poil. Tout poil blanc ou reflet, toute tache ou trace de rayure est un grave défaut, de même que des yeux tirant sur le vert.

À DROITE ET DOUBLE PAGE SUIVANTE : Darling du Sacré Cœur, Chartreux, à Mme Marie-Lucie Malenovic.

ABYSSIN

Le premier Abyssin s'appelait Zula et fut ramené d'Éthiopie (alors Abyssinie) en Angleterre par les membres d'une expédition militaire qui lui donnèrent le nom du port où ils avaient débarqué. C'était en 1868, et une photo de ce spécimen unique nous apprend qu'il ne ressemblait pas à ses modernes descendants. Il est vrai

CI-DESSUS ET DOUBLES PAGES SUIVANTES : *Diamond Silver d'Altaïr of Cinnamon's, Abyssin silver sorrel, à M. Gilles Guillaumes.*

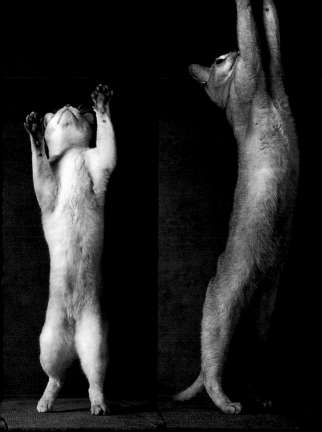

CI-DESSUS : *Diamond Silver d'Altaïr of Cinnamon's,
Abyssin silver sorrel, à M. Gilles Guillaumes.*

À DROITE : *Cinnamon's Fersen, Abyssin sorrel, à M. Franck Massé.*

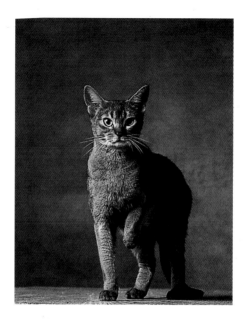

Hot Shot Lone Star, Fiona Lone Star, Hennessy Lone Star et Shechinah Esprit d'Amour, Abyssins lièvre, à Mme Daniela Goll.

que, pour préserver les traits qui faisaient son charme et particulièrement son pelage à la lièvre, on dut croiser Zula à des modèles locaux qu'on s'efforça de choisir le plus ressemblant possible… et la nature fit le reste. C'est donc en Angleterre que la race fut fixée ; elle y fut d'ailleurs présentée dès 1871 lors de la toute première exposition féline au Crystal Palace de Londres. En 1889, les premiers critères de jugement étaient élaborés, et en 1926 l'Abyssinian Cat Club anglais voyait le jour. L'année suivante, le chat faisait son apparition en France, représenté par Ras Tafari, inévitablement né outre-Manche. La race connut très vite un vif succès et son élevage se développa rapidement, tant en Europe qu'aux États-Unis où elle est actuellement l'une des plus populaires avec les Siamois et les Persans. Il est vrai qu'avec ses allures de divinité égyptienne, l'élégant Abyssin a de quoi faire rêver !

Gennetic's Black Silver d'Alyse de la Pagerie, Abyssin black silver, à Mme Alyse Brisson.

Souple et musclé, de taille moyenne, l'Abyssin porte une queue assez longue et fuselée. Ses pattes hautes et fines aux tendons apparents se terminent par de petits pieds ovales. Sa tête triangulaire aux contours doux présente un menton ferme, un nez moyen et des oreilles assez grandes, arrondies, souvent ornées de plumets sur le bord interne. Ses grands yeux en amande cerclés de noir doivent être bien écartés et de couleur pure (vert, jaune ou ambre). Sa robe courte, couchée, fine et serrée, se distingue par son poil portant deux ou trois bandes de couleur, l'extrémité devant être de préférence foncée. Qu'il soit « lièvre », « sorrel » (cuivre rouge), « bleu », « beige faon » ou « silver », le chat ne doit pas avoir de marques sur la poitrine, le ventre et les pattes. La truffe, les coussinets et les dessous de pieds, et parfois même le bout de la queue, obéissent à des critères déterminés pour s'harmoniser à la robe…

Helwétia de Fontanalbe, Abyssin faon, à Mme Marie-Louise Giraud.

*Bahariya's Tefnout Blue Genes (CI-DESSUS), Abyssin bleu,
et Zazie, Européenne bicolore, à MM. Claude Paul et Marcel Godenir.*

Cinnamon's Fersen, Abyssin sorrel, à M. Franck Massé.

CHATS À POILS MI-LONGS

SOMALI

Africain par le nom plus que par ses lointaines origines, le Somali n'est autre qu'un Abyssin à poil mi-long, un mutant naturel apparu dès les années 1930. Longtemps écarté de la reproduction en raison de sa fourrure, il dut attendre les années 1960 pour que des éleveurs américains s'intéressent à son cas. Universellement reconnu aujourd'hui, le Somali répond au même standard que l'Abyssin.

CI-DESSUS : *Lynn Lee's Black Eyed Susan*
À DROITE : *Lynn Lee's Secret Wishes, Somalis lièvre, à M. et Mme Alain Piette.*

PAGE PRÉCÉDENTE : *Pandapaws Eddie, Ragdoll bicolore seal, à Mme Tatti.*

CI-DESSUS : Lynn Lee's Secret Wishes à M. et Mme Alain Piette.
À DROITE ET DOUBLE PAGE SUIVANTE : Hyacinth des Fauve et Or, Somali bleu,
à Mme Christine Le Renard.

Helie-Tim du Bois Galant,
dit Heliot, Somali sorrel, à M. Patrick-Michael Reygner.

ÉCOSSAIS

Comme le Manx et le Cymric, le Scottish et le Highland Fold sont des avatars d'une mutation spontanée survenue en Écosse dans les années 1960. Scottish et Highland Fold ont une même morphologie et se différencient par la longueur du poil. Ce sont des chats plutôt courts, tout en rondeurs : les pattes moyennes se terminent par des pieds ronds ; la poitrine et le corps sont de forme arrondie. La tête ronde, les oreilles aux extrémités repliées vers l'avant et de grands yeux ronds donnent au chat un faux air de hibou. Le gène mutant responsable de ces curieuses oreilles serait aussi la cause de problèmes osseux ; les Fold sont donc régulièrement mariés à d'autres races en vue de préserver leur santé… ainsi que leur rondeur !

NORSK SKOGKATT

D'allure rustique, le Norsk Skogkatt
est un grand chat solidement char-
penté au corps allongé. Ses pattes
musclées, plus hautes à l'arrière, se
terminent par de gros pieds ronds
ornés de touffes entre les doigts. La
tête s'inscrit dans un triangle équila-
téral surmonté de longues oreilles

CI-DESSUS, À DROITE ET DOUBLE PAGE SUIVANTE :
Naima's Yacinta, chatte des forêts norvégiennes blanche (Norsk Skogkatt),
à Mme Theres Ramseyer.

droites, bien ouvertes, portées haut sur le crâne, à l'intérieur bien fourni de longs poils ; des touffes à la lynx sont un trait apprécié. Le menton doit être très ferme ; le profil absolument rectiligne, sans l'ombre d'une cassure à la base du front. Les grands yeux légèrement à l'oblique peuvent arborer toutes les couleurs, quelles que soient celles de la robe pour laquelle toutes les teintes et marques sont autorisées, à l'exception du « marquage point » des Siamois et des tons « chocolate » et « lilac ». Longue et touffue, la queue doit atteindre le creux de la nuque lorsqu'on la rabat sur le dos, le chat la porte fièrement, en étendard. La fourrure, se compose d'un sous-pelage laineux recouvert de poils plus longs, lisses et imperméables sur le dos et les flancs. « Bien en poil », le chat porte plastron, favoris et culotte. À la belle saison, après la mue annuelle, seule la queue reste très fournie.

À DROITE ET DOUBLE PAGE SUIVANTE : *Hanske de la Cachouteba, chat des forêts norvégiennes (Norsk Skogkatt) bleu tabby et blanc, à Mme Christine Pochez.*

En 1990, le chat de Sibérie passe à
l'Ouest, mais on l'élevait déjà en RDA
et en Tchécoslovaquie depuis quelques
années. Son club officiel à Saint-
Pétersbourg est le garant de ses origines. C'est un fort gaillard, solidement bâti, les mâles pouvant atteindre
plus de dix kilos, les femelles, environ
six. Il a le corps massif, l'ossature
lourde, le dos, les épaules et les flancs
puissamment musclés, la poitrine large
et droite, les pattes moyennes terminées par de gros pieds légèrement
ovales aux doigts séparés par de petites touffes de poil. Moins longue que
chez le chat des forêts norvégiennes,
la queue est grosse et forte, bien pour-
vue de poils de longueur identique
implantés perpendiculairement depuis la base jusqu'au bout légèrement
arrondi. La tête en forme de trapèze
présente un front large, des pommettes

*À DROITE ET PAGE 202 : Horacio des Loricaria of Siberia,
chat de Sibérie agouti et blanc, à Mme Micheline Bancarel.*

hautes, de petites joues développées, de grands yeux un peu en amande, écartés et légèrement en biais. De taille moyenne, les oreilles larges à la base sont doucement arrondies vers le haut et s'ornent de jolis pinceaux de poils longs sur le bord intérieur. Nettement placées sur les côtés de la tête, elles pointent légèrement vers l'avant au repos. La fourrure double est constituée d'un sous-pelage bien fourni, recouvert d'un manteau plus rude et hydrofuge. En hiver, la culotte et la fière collerette qui descend depuis les joues et recouvre en partie les pattes de devant sont particulièrement spectaculaires. Toutes les couleurs de robe sont admises, mais la préférence est donnée aux coloris avec facteur « agouti » (poil présentant une alternance de zones claires et de zones foncées). Bon grimpeur et bon chasseur, ce chat est au foyer d'un calme réservé. Il semblerait que les paysans de Sibérie l'aient utilisé comme chat de garde car il gronde facilement à l'approche d'un intrus.

Authentique chat américain, le Maine
Coon doit son nom à son État d'origine, le Maine, et au raton laveur, en
anglais « racoon ». Une légende raconte en effet qu'il serait né des curieuses amours entre le petit mam-
mifère masqué et des chats harets
vivant en liberté dans les forêts. Plus
sérieusement, il est sans doute le produit de croisements spontanés entre
les chats de ferme locaux au poil
court introduits par les premiers pionniers et des Angoras importés par les
marins de Nouvelle-Angleterre. Cette
hypothèse étant probable, mais non
prouvée, on peut encore, si l'on est
d'humeur romanesque, croire cette
autre légende qui voudrait que
Marie-Antoinette ait donné ses
Angoras au marquis de La Fayette
alors qu'il s'embarquait pour la guerre
d'Indépendance ; arrivés au Nouveau

À DROITE ET DOUBLE PAGE SUIVANTE :
Rexotic Gary, Maine Coon brown tabby classic, à M. Denis Basile.

Monde, les chats royaux auraient oublié leurs nobles origines pour se mêler à la population résidente. Quoi qu'il en soit, le Maine Coon fut parmi les pionniers dans les salons félins d'outre-Atlantique et remporta un vif succès au Madison Square Garden en 1895. Son étoile pâlit au début de ce siècle avec l'arrivée de chats plus « exotiques » comme le Persan ou le Siamois et il dut attendre, pour reconquérir sa gloire passée, que des éleveurs s'intéressent à lui dans les années 1950. De taille moyenne à grande, c'est un chat robuste dont le corps allongé s'inscrit dans un rectangle. Fortes et musclées, les pattes, bien proportionnées, se terminent par de gros pieds ronds pourvus de touffes de poil entre les doigts. La tête est large, les pommettes hautes, le nez moyen, le menton fort ; les yeux bien écartés, légèrement en biais, peuvent arborer toutes les couleurs. Placées haut sur le crâne, les oreilles de bonne taille se terminent en pointe et s'ornent de plumets. La longue queue à la fourrure fluide est en panache. Dense, serrée, plus courte sur la tête et les épaules, la robe de texture soyeuse tombe souplement ; le sous-poil fin est recouvert d'un poil supérieur brillant et légèrement huileux. Comme pour le Norsk Skogkatt, toutes les couleurs sont autorisées, à l'exception du « marquage point » des Siamois dans les tons chocolat et lilas.

CHATS DE TURQUIE

Les premiers spécimens d'Angora turc furent introduits au XVIIᵉ siècle en Italie par l'explorateur Pietro della Valle. Issue d'une population naturelle apparue sur les hauts plateaux du Moyen-Orient, cette race, qui doit son nom à la ville d'Ankara, contribua largement à la création des Persans. Tombée en désuétude au profit des nouveaux venus, elle périclitait, menacée jusque sur ses terres d'origine par le métissage naturel, et ne fut sauvée de justesse que grâce à un programme d'élevage imposé au zoo d'Ankara par le gouvernement turc, avant d'être redécouverte en 1959 par une éleveuse américaine de passage. Ferme, solide et gracieux, l'Angora turc a de longues pattes terminées par de petits pieds ronds ornés de touffes entre les doigts. Sa tête triangulaire porte haut des oreilles de bonne taille,

À DROITE ET PAGE 217 : Gaëtan le Fétiche des Loricaria, Angora turc crème et blanc, à Mme Micheline Bancarel.

pointues et touffues, arborant de jolis plumets. Ses yeux sont en amande, légèrement à l'oblique ; son nez moyen ne marque pas de « stop ». Longue et effilée, la queue au poil fourni doit être portée bas. De texture soyeuse et fine, la robe, mi-longue et sans sous-poil, s'allonge en collerette chez le sujet adulte.

Très proche de l'Angora turc, le Turkish Van – dit « chat nageur » parce qu'il aime l'eau – est lui aussi issu d'une population naturelle de la région du lac de Van en Turquie. C'est là que des éleveurs britanniques le découvrirent dans les années 1960. D'un blanc immaculé sur tout le corps, il se distingue par des taches d'un ton roux sur le haut de la tête et le front, et par une queue de même teinte, légèrement annelée. Ses yeux d'ambre clair sont cerclés de rose ; la truffe, les lèvres, l'intérieur des oreilles et les coussinets sont également roses. Des éleveurs travaillent à fixer ce marquage en diversifiant les couleurs.

217

Goufy de la Belle Blanche of de la Perle d'Antalya, Fany, Hendjyie (CI-DESSUS), Houchka de la Perle d'Antalya, Angoras turcs, à M. et Mme Jean Bernel.

*Double page précédente et ci-dessus : Gulka de la Lucière et ses petits,
Turc de Van blanc roux, à Mme Maryse Mayoux.
À droite : Hadjan de Capoutan-Lidj,
Turc de Van blanc roux, à Mme Maryse Mayoux.*

RAGDOLL

Le Ragdoll est un grand chat fort, au poil mi-long, aux yeux d'un bleu profond, au marquage point des Siamois, parfois ganté de blanc comme le Birman et parfois « bicolore » lorsque le blanc s'étend aux quatre pattes et sur la face, y formant un V inversé. Son nom signifie « poupée de chiffon », car c'est un doux géant qui se détend si complètement lorsqu'on le prend qu'il en devient tout mou. Appréciée du public, cette mollesse docile qui donne un chat exceptionnellement caressant varie cependant d'un sujet à l'autre. À ce jour, aucun rapport scientifique sérieux ne permet d'en déterminer la cause et, si elle reste censée caractériser le chat, elle n'est pas prise en compte dans les standards existants pour la race. La fable voudrait que les premiers

À DROITE : Bag-of-Rags Melissa.
DOUBLE PAGE SUIVANTE : Pandapaws Eddie,
Ragdolls, à Mme Vanna Maria Tatti.

Ragdolls soient nés d'une chatte blessée dans un accident ; ils auraient ensuite transmis à leurs petits cette mollesse survenue suite à un traumatisme prénatal. Mais les lois de la génétique récusent la légende : un traumatisme n'est pas un gène transmissible. Il est donc plus probable que le Ragdoll ait hérité ce trait, somme toute relatif, des placides Persans et des calmes Birmans qui ont contribué à sa création aux côtés des Siamois.

Pandapaws Eddie, Jonathan de Cyanara, Ragdolls, à Mme Vanna Maria Tatti.

SACRÉ DE BIRMANIE

Le Birman, ou Sacré de Birmanie, est un chat mi-lourd au corps légèrement allongé, à l'ossature forte, aux pattes courtes et puissantes. Les mâles sont plus trapus que les femelles mais ne doivent pas avoir la silhouette compacte des Persans. La tête large aux joues pleines et arrondies, au menton affirmé, au nez moyen prolongé par un front légèrement bombé est couronnée par des oreilles plutôt petites et un peu à l'oblique. Les yeux d'un bleu profond sont presque ronds et à peine bridés. De texture soyeuse, peu fournie en sous-poil, la fourrure est longue sur le dos et les flancs, courte sur les pattes et la face où elle s'allonge à partir des joues pour former une abondante collerette. Couleur coquille d'œuf clair sur la poitrine et le ventre, d'un beige doré sur le dos, la robe porte le marquage point du

À DROITE : Fol Amour. DOUBLE PAGE SUIVANTE : Henessy de la Perle d'Or, Sacrés de Birmanie seal point, à Mme Nicole Godier.

Siamois agrémenté d'un « gantage » caractéristique. Les doigts sont en effet d'un blanc pur qui remonte en pointe sur les faces plantaires. Une trop grande extension de ce gantage est un défaut, de même qu'une remontée sur le côté. Idéalement, les pieds devraient porter des marques identiques. On accepte cependant un gantage plus haut à l'arrière pour autant que la symétrie des pattes deux à deux soit conservée.

CI-DESSUS : *Gentiane de la Perle d'Or,*
Sacré de Birmanie blue point, à Mme Nicole Godier.
À DROITE : *Filibert, Sacré de Birmanie seal et bleu, à Mme Pascale Richard.*

Double page précédente : **Hermès de Song-Hio**, *Sacré de Birmanie red point,
à Mme Brigitte Rozet.*
Ci-dessus et à droite : *Hirondelle, Sacré de Birmanie seal tortie point,
à Mme Brigitte Rozet.*

BALINAIS

Comme en témoignent leurs couleurs, il est probable qu'en des temps reculés, Birmans, Balinais et Siamois eurent quelques ancêtres communs dans le lointain Orient. Mais alors que le chat sacré nous arriva de Birmanie au début de ce siècle avec ses pieds de neige, ses petites oreilles et son corps relativement lourd, le Balinais montra spontanément le bout du nez dans des portées de Siamois ordinaires dès les années 1940. Sa carrière félinotechnique ressemble à s'y méprendre à celle du Somali, mutant d'Abyssin à poil mi-long : initialement écarté de la reproduction en raison de sa fourrure « défectueuse », il finit cependant par attirer l'attention et susciter des programmes d'élevage spécifiques qui s'attachèrent à lui conserver la morphologie du Siamois dont il porte aussi les marques.

À DROITE : *Pride et Freesia Casa Decano of la Draiecour,*
Balinais bleu tabby et chocolat tabby, à M. et Mme Serge Ferenczi.
DOUBLE PAGE SUIVANTE : *Alegrias Casa Decano of la Draiecour et ses petits,*
Balinais bleu tably, à M. et Mme Serge Ferenczi.

Balinais et Mandarin sont de morphologie identique, en tous points
semblable à celle des Orientaux et des
Siamois. Mais alors que le Balinais,
Siamois au poil mi-long « fixé » dans
les années 1970, est universellement
reconnu depuis une dizaine d'années,
l'Oriental à poil mi-long est encore
travaillé par les éleveurs. Appelés
Mandarins, les sujets conformes au
standard désiré sont croisés avec des
Balinais pour le gène « poil long », des
Orientaux pour la couleur, voire des
Siamois au grand dam des puristes.
Ces mariages donnent le plus souvent
des portées mixtes où l'on trouve
pêle-mêle des Balinais, des Mandarins, et des chatons surprises. Appelés
« variants », ces sujets non conformes
au standard de l'une ou l'autre race
ont cependant un pedigree tout à fait
légitime, de même que la morpho-

*À DROITE ET PAGES SUIVANTES : Gatz'Arts de la Draiecour,
Mandarin lavender mackerel tabby, à M. et Mme Serge Ferenczi.*

logie voulue. Porteurs de gènes potentiellement utiles à la fixation de la nouvelle race, ils représentent une étape transitoire inévitable et s'ils ne peuvent être exposés, ils sont utilisés pour la reproduction. Les Mandarins seront un jour en nombre suffisant

pour être systématiquement mariés entre eux sans risque d'une trop grande consanguinité et les chatons nés de ces unions seront des Mandarins… à quelques exceptions près.

SIAMOIS
ET
ORIENTAUX

SIAMOIS ET ORIENTAUX

Chats élégants tous deux avec, dans le
profil, comme un soupçon de
« Panthère rose » – peut-être lui ont-
ils servi de modèle ! –, Siamois et
Orientaux sont de forme identique
mais se répartissent en deux groupes
selon leur couleur. Les yeux d'abord :
ceux de l'Oriental sont aussi invaria-
blement verts que ceux du Siamois
sont bleus ; la robe ensuite : chez
l'Oriental, la couleur – quelle qu'elle
soit – est uniformément répartie sur
tout le corps, alors que le Siamois arbore une couleur différente appelée
« marquage point » sur le masque, les
pattes, les oreilles et la queue. À tout
cela inévitablement, une coquette exception : le Foreign White est-il un
Siamois blanc uni ou un Oriental dis-
sident aux yeux bleus ? Pour le reste,
Siamois et Orientaux sont des chats
de taille moyenne, souples et musclés
sans excès, au corps long et fin de

PAGE PRÉCÉDENTE : *Amadeus of the Sweet Cats*, Siamois bleu, à Mme Jacqueline Pierre.
À DROITE : *Zissi of Tontuta*, Siamois chocolat point, à M. Jean-Louis Nicolet.

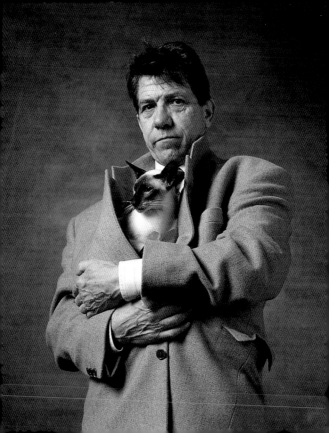

même que les pattes aux petits pieds ovales. Très longue et fine aussi, la queue qui se termine en pointe. Le cou élancé porte une tête triangulaire qui s'élargit en ligne droite à partir du nez ; ce triangle est encore prolongé par les oreilles, grandes, pointues et larges à leur base. Appelé « pinch », l'effet « joues creuses » autour du museau est un défaut. De profil, un long nez droit à l'aplomb du menton prolonge sans cassure la ligne du front légèrement convexe. Les yeux en amande sont un peu à l'oblique, en parfaite harmonie avec les triangles du nez, de la tête et des oreilles. Un rapide regard jeté sur d'anciennes revues félines nous apprend que le Siamois des années 1970 était moins « pointu », moins géométrique que celui d'aujourd'hui, preuve que les goûts évoluent aussi en matière de chat et que la recherche esthétique joue un rôle important dans le travail de sélection réalisé par les éleveurs.

Zissi of Tontuta, Siamois chocolat point, à M. Jean-Louis Nicolet.

Gengis Khan du Domaine Sacré, Siamois foreign white, à Mme Christiane Merckx.

CI-DESSUS ET À DROITE : *Amadeus of the Sweet Cats, Siamois bleu,
et Hugo de la Pergola, Siamois seal point,
à Mme Jacqueline Pierre.*

Hugo de la Pergola.

Amadeus of the Sweet Cats.

Ci-dessus : Rokon of Off, Siamois lilac point, à M. Jacky Letourneau.
À droite : Farouk de la Rouvière, Siamois chocolat tabby, à M. Louis Coste.

H'Isis du Domaine Sacré, Siamois seal tortie tabby, à Mme Christiane Merckx.

Enki de l'Île des Ravageurs, Oriental brown spotted tabby, à Mme Liliane Lesongeur.

Gaodi de la Rouvière, Oriental lavender, à M. Louis Coste.

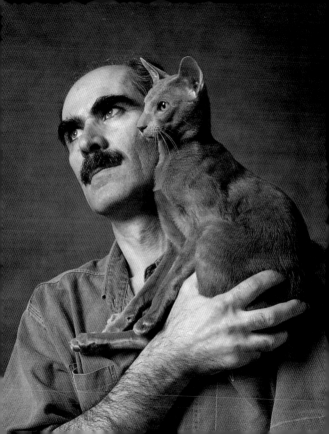

*Ci-dessus : Gavroche de la Clère, Oriental Chocolat
dit «Havana», à Mme Patrick Geslot.*

À droite : Hermès de la Malvoisine, Oriental eboni, à M. Alain Gilman.

CI-DESSUS, À DROITE ET DOUBLE PAGE SUIVANTE : *Gavroche de la Clère, Oriental Chocolat dit «Havana», à Mme Patrick Geslot.*

Fifty-Fifty de Sophisticats, Oriental bicolore noir et blanc, à Mme Chantal Dornat.

Ci-dessus et à droite : Fifty-Fifty de Sophisticats, Oriental bicolore noir et blanc, à Mme Chantal Dornat, et Hillou des Albatres, Oriental crème tabby, à Mlle Élisabeth Contet.

Dandy de la Romandière, Oriental bleu tabby, à Mlle Élisabeth Contet.

*C_{I-DESSUS} ET À _{DROITE} : Dandy de la Romandière Oriental bleu tabby,
et Harald des Albatres, Oriental red tabby.
D_{OUBLE PAGE SUIVANTE} : Harald des Albatres, Oriental red tabby,
à Mlle Élisabeth Contet.*

PERSANS

ET

EXOTICS

PERSANS ET EXOTICS

Persans et Exotiques ont une même morphologie, une même diversité de couleurs. Dans les deux cas, les yeux, la truffe et les coussinets doivent répondre à certains critères afin de s'harmoniser à la robe. Seul le type de pelage les différencie : le Persan est recouvert d'une fourrure longue et dense de texture soyeuse et porte une collerette tombant sur la poitrine et les épaules ; l'Exotique est, en somme, un persan à poil court dont la fourrure, très dense également, est implantée droit sur le corps et légèrement plus longue que celle du British Shorthair. De taille grande ou moyenne, tous deux ont le corps massif, la poitrine large, les épaules et le dos bien musclés. Les pattes, fortes et courtes, se terminent par de gros pieds bien ronds, de préférence ornés de touffes entre les doigts. Généreusement fournie chez le persan, la queue,

PAGE PRÉCÉDENTE : Grain de Sable des Embruns, Persan crème à Mme Bernadette Haule.
À DROITE : Gaspard de la Roizonne, Persan roux, à Mme Élisabeth Kassis.

courte elle aussi, doit cependant rester proportionnée au corps. La face large et circulaire, éclairée par de grands yeux ronds de couleur pure, donne à ces chats un air lunaire. Placées bas sur le crâne et largement écartées, les oreilles sont petites, de forme légèrement arrondie et arborent de jolis plumets bien fournis. Le nez, petit et court, ne doit pas être retroussé et marque une cassure juste entre les deux yeux. Le front bombé, les joues et le menton bien développés achèvent de caractériser ces chats dont l'allure générale semble se résumer en un mot : densité. Notons, que si l'on peut retracer l'origine de chats à poils longs noirs ou blancs dits « Persans » au XVIe siècle, il n'en va pas de même de nos actuels Persans aux fantastiques couleurs, développés au gré des modes depuis le siècle dernier par les éleveurs d'Europe et d'outre-Atlantique selon des procédures de sélection de plus en plus rigoureuses.

Geisha de la Lumière cendrée, Persan golden shaded, à M. et Mme Robert Bonnin.

Quant à l'Exotic, qui n'a d'exotique que le nom, c'est un chat relativement récent : internationalement reconnu depuis 1984 seulement, il fut créé aux États-Unis dans les années 1960 à partir de croisements réalisés entre des Persans et des chats à poils courts américains et européens.

CI-DESSUS : Gaïa et Geisha de la Lumière cendrée, Persans golden shaded, à M. et Mme Robert Bonnin.
À DROITE : Lilian Buissant des Amorie, Persan chinchilla, à M. et Mme Robert Bonnin.

À GAUCHE : Garfield del Adène, Persan red tabby, à Mme Danielle Espiau.
CI-DESSUS : Sweet Mary dell'Ariette du Shah-Li, Persan brown tabby noir,
à Mme Christiane Paillard.

Hermione de la Brakelière, Persan van bleu blanc crème, à Mme Caroline Bonafos.

À GAUCHE : *Full-Ozass du clos de Bagneux, Persan, à Mme Marie-José Tirard.*
CI-DESSUS : *Colombine de la Brakelière, Persan bicolore noir et blanc,*
à Mme Yvette Framinet.

H'Ormacif et Full-Ozass du clos de Bagneux, Persans, à Mme Marie-José Tirard.

Stardust dell'Ariette du Shah-Li, Persan écaille de tortue, à Mme Christiane Paillard.

DOUBLE PAGE PRÉCÉDENTE :
À DROITE : Geisha de la Brakelière, Persan harlequin écaille et blanc,
à Mme Nicolas Georgeault.
À GAUCHE : Colombine de la Brakelière, Persan bicolore noir et blanc,
à Mme Yvette Framinet.

À GAUCHE : Hercule de la Brakelière, Persan van blanc noir,
à Mme Catherine Fromal.
CI-DESSUS ET DOUBLE PAGE SUIVANTE : Gina de la Brakelière, Persan bleu blanc crème,
à Mme Sylviane Bourgois.

305

CI-DESSUS : *Hercule de la Brakelière, Persan van blanc noir, à Mme Catherine Fromal.*
À DROITE : *Fedora de la Brakelière, Persan écaille et blanc, à Mme Sylviane Bourgois.*

Harmonie de l'Arc-en-Ciel, Persan van blanc roux, à Mme Catherine Fromal.

*Gamila de la Villouyère, dit Cannelle, Persan silver tortie tabby,
à Mme Françoise Vigneron.*

Eurydice Tresor de Bast, Persan colour point, à Mme Dominique Guérinaud

DOUBLES PAGES PRÉDÉDENTES : *Hermès de la Salamandre d'Or, Persan colour point red point, à M. Robert Lubrano.*

CI-DESSUS ET À DROITE : *Houpette et Geisha de la Charmeraie, Persans blancs, à Mme Lysiane Chavallard.*

*Ci-dessus et à droite : Full-Ozass du clos de Bagneux, Persan red shaded Cameo,
à Mme Marie-José Tirard.*

322

Follow Me Ice Cube, Persan colour point red point, à M. Jean-Yves Ramel.

Ci-dessus : Gigi du Chah Name, Persan noir, à Mme Élisabeth Kassis.
À droite : Grain de Sable des Embruns, Persan crème, à Mme Bernadette Haule.

Double page précédente : *De Gazeau's Gicolin, Persan tortie smoke,*
à Mme Brigitte Pottier.

Ci-dessus et à droite : *Élodée Magique des Lys Blancs,*
Persan tortie silver blotched tabby, à M. Christian Marechal et Mme Joëlle Riche.

Ci-dessus : De Gazeau's Gicolin, Persan tortie smoke,
à Mme Brigitte Pottier.

*Daddy des Pujols of Royal Lys, Persan bleu silver blotched tabby,
à Mme Marie-France Dendauw.*

Doum-Doum du Pré du Curé, Persan bleu crème, à Mme Nicole Richefort-Tsango.

Ci-dessus et double page suivante : *Grain de Sable des Embruns, Persan crème,*
à Mme Bernadette Haule.
À droite : *Geisha de la Lumière Cendrée, Persan golden shaded,*
à M. et Mme Robert Bonnin.

Ci-dessus et à droite : *Guizmo de Pomone, Persan colour point,*
à M. Jean-Yves Ramel.
Double page suivante : *Hursonne de Gremichka, Persan black smock,*
à Mme Jeanine Perdriol.

344

Hursonne de Gremichka, Persan black smock, à Mme Jeanine Perdriol.

Génaro de la Ronceraie Desravine, Persan bleu, à M. Gérard Beroud.

CI-DESSUS : *Foggy des Haudières, Persan bleu, à Mme Catherine Fromal, photographié avec M. et Mme André Jocquel.*
À DROITE : *Genaro de la Ronceraie Desravine, Persan bleu, à M. Gérard Beroud.*

*Trust of New World's Way Good-Love, Exotic Shorthair tortie silver blotched tabby,
à M. et Mme Michel Sfez-Zon.*

Double page précédente, ci-dessus, à droite et double page suivante :
Phalaenopsis Émile Victor, Exotic Shorthair red tabby,
à Mlle Christelle Ponthieu et Mme Claudine Naels.

358

*Tasha Isatis of Follow Me, Exotic Shorthair bleu point
et Hilary Tom Pouce Follow Me, Exotic Shorthair creme point,
à M. Régis Machin.*

Hilary Tom Pouce of Follow Me, Exotic Shorthair crème point, à M. Régis Machin.

Tasha Isatis of Follow Me, Exotic Shorthair bleu point, à M. Régis Machin.

Double page précédente et à droite : Gitane Nid'Amour,
Exotic Shorthair bleu silver tabby, à M. et Mme Michel Sfez-Zon.

Ci-dessus : Trust of New World's Way Good-Love, Exotic Shorthair tortie silver blot-
ched tabby, à M. et Mme Michel Sfez-Zon.

*Cake Bread Drambuie, Exotic Shorthair bleu mackerel tabby,
à M. et Mme Michel Sfez-Zon, photographié avec M. Alain de Lavalade.*

DERNIERS REGARDS

Fascination des yeux de chat, ces yeux qui ne cillent pas, qui attirent et inquiètent ; ces yeux dont la pupille s'étrécit en une mince fente verticale ou se dilate monstrueusement, dévorant l'iris coloré de sa noire pastille. Si la contemplation du chat est une expérience esthétique, plonger dans son regard, le fixer dans les yeux relève de la philosophie. Ou du masochisme, c'est selon, car la peur n'est pas loin. Même l'amoureux des chats le plus convaincu n'échappera pas à un vague sentiment de crainte mêlé de respect. Ce trouble serait-il le fait de quelque diablerie féline ? Sans doute, car si les yeux sont le miroir de l'âme, ceux du chat ne nous renvoient rien, rien qu'un regard constant, indéchiffrable et dépourvu de toute affectivité. Pourtant, l'œil illisible n'est pas vide : il ouvre sur un au-delà, sur

« Et des parcelles d'or, ainsi

qu'un sable fin

Étoilent vaguement

leurs prunelles mystiques »

CHARLES BAUDELAIRE

une présence opaque et dense. Plonger dans le regard du chat, c'est mesurer l'altérité irréductible sous sa forme la plus brutale et il faut être un sage pour affronter l'épreuve avec sérénité. Par l'œil, nous pénétrons au cœur du prétendu « mystère du chat », un mystère qui, somme toute, n'est pas bien mystérieux. Ce chat domestique que l'on vient de gronder parce qu'il a encore fait ses griffes sur le canapé du salon adopte, fort convenablement, une attitude coupable. Mais dans ses yeux, pas l'ombre d'un remords. Abandonné sous les caresses, point de regards enamourés : c'est son corps tout entier qui exprime le plaisir mais l'œil, mi-clos sans doute, demeure égal ; une patte se tend, s'étire, les doigts griffus s'écartent de bonheur : dilatation du chat qui s'exprime par le geste, rendant à l'émotion son sens pre-

À DROITE : Grisella Van Kievietsdel, British bleu, à Mme Els Franssen.

mier de mouvement vers l'extérieur. Qu'il guette ou qu'il tue, qu'il se chauffe au soleil ou surveille l'ouverture du réfrigérateur magique à l'heure du dîner, qu'il lorgne votre assiette méditant un larcin ou qu'il s'adonne à sa toilette, le chat pose sur le monde alentour un regard objectif qui se contente de voir. Seuls l'angle de la tête, des oreilles, des moustaches, les tensions musculaires du cou, du dos ou de la queue trahissent l'intensité de sa concentration et l'intention de mouvement à venir. Mais il convient pour comprendre le chat de savoir lire le corps : comme l'âme zen accomplie, son œil est le miroir qui ne réfléchit rien.

Zen le chat ? Peut-être. Une légende bouddhiste raconte que, parmi tous les animaux assemblés à la mort du Bouddha, deux seuls avaient l'œil sec : le chat et le serpent. Survint une souris qui se prit à lécher l'huile d'une lampe funéraire. Le chat bondit et la croqua. Deux écoles de pensée naquirent donc à propos du félin. L'une le fit infâme, ajoutant à l'insulte du manque de sentiment le sacrilège du meurtre ; l'autre le fit sage, car détaché du monde d'illusion que sont les émotions et capable d'agir pour faire, sans hésiter, ce qu'il convient de faire. Ainsi, cette légende nous le rend double, toujours ange ou démon selon qu'on l'aime ou non, selon que son altérité nous agrée ou nous gêne. Le chat, lui, continue sa route, la queue droite et l'oreille alerte tandis que l'homme distribue les symboles et que, nez rose contre patte blanche, Mouchka la Mouche dort du sommeil du juste blottie contre l'ordinateur qui ronronne doucement. De tout cela elle se moque comme de sa première souris : elle EST Le Chat… et il faut être humain pour s'intéresser à de pareilles sornettes.

SOMMAIRE

INDEX

DOUBLE PAGE PRÉCÉDENTE : Chats libres du Centre d'accueil du logis de Boncé, photographiés avec Mme Thérèse Arnac. À DROITE : *Héloïse de Cléomont, Cornish rex noir fumé et blanc, à M. Jean-Pierre Filippi.*

veuse de Persans dans le Montana, et changea radicalement de fréquentations. Son premier époux, un Persan noir du nom de Photo Finish, lui donna trois nouveaux chatons bouclés : notre gène spécifique était donc dominant puisqu'un seul parent Selkirk suffisait à produire des petits chats frisés. Je suis très fier de mes ancêtres auxquels je dois mon allure robuste et si gracieusement arrondie. Mais je suis encore plus fier de posséder trois types de poils, tous bouclés, de même que mes sourcils et mes moustaches.

Réalisation : François Huertas
Édition : Claire Cornubert et Joan Le Boru

Photogravure : Euresys, à Baisieux
Imprimé à Hong Kong
Dépôt legal : 30768 - mars 2003
ISBN : 2 84 277 195.8
34/1357/2-06